KU-226-262

DEICH MBLIANA NÍOS DÉANAÍ, AGUS

TÁ LAOGHAIRE, MAC LE NIALL NA NAOI nGIALLACH, INA A

"FEICIM CONTÚIRT MHÓR THAR SÁILE CHUGAINN..."

I GCÚIRT AN ARDRÍ TÁ LOCHRÚ, AN DRAOI, I MBUN TAIRNGREACHTA...

"FILLFIDH AN SCLÁBHAÍ ..."
"...AN TÉ AR FHUADAIGH D'ATHAIR NIALL É, NA BLIANTA FADA O SHIN!"
"IS É AN DÍOLTAS ATÁ UAIDH..."
"...NÁ DEIREADH A CHUR LE REIMEAS A MHIC!"
"NÍ FHÉADFADH SÉ A BHEITH FÍOR. "AN BHFÉADFADH?"
"CÉARD ATÁ Á RÁ AGAT?"

"TÁ FAITÍOS ORM GO BHFUIL..."

"HMMMM."

LUGAD MAOL...
FEAR FEASA EILE.

"EISTIGÍ LIOMSA!
IS MISE AN T-ARDRI
AGUS NÍ GHÉILLFIDH MÉ
DO DHUINE AR BITH!"

"TÁ MÉ TINN TUIRSEACH
DE NA PISEOGA SEO!"

"BAILÍGÍ LIBH ANOIS GO CNOC SHLÁINE AGUS RÉITÍGÍ TINE NA BEALTAINE."

"PÁDRAIC?!"

"BEIDH SÉ ANSEO FAOI MHEÁN LAE."

"ACH CÉARD A THUG ANSEO É?"

"DÍOLTAS ATÁ UAIDH, GAN AMHRAS!"

"ÍN AINM CHROIM, CÉARD A DHÉANFAIDH MÉ?"

"NÍL AN DARA ROGHA AGAM ANOIS..."

AG GALLÁN AR BHARR CNOIC CUIREANN MILCHÚ LÁMH INA BHÁS FÉIN...

ANSIN...

CAITHIM DAICHEAD LÁ...

...AGUS DAICHEAD OÍCHE...

...AR BHARR NA CRUAICHE.

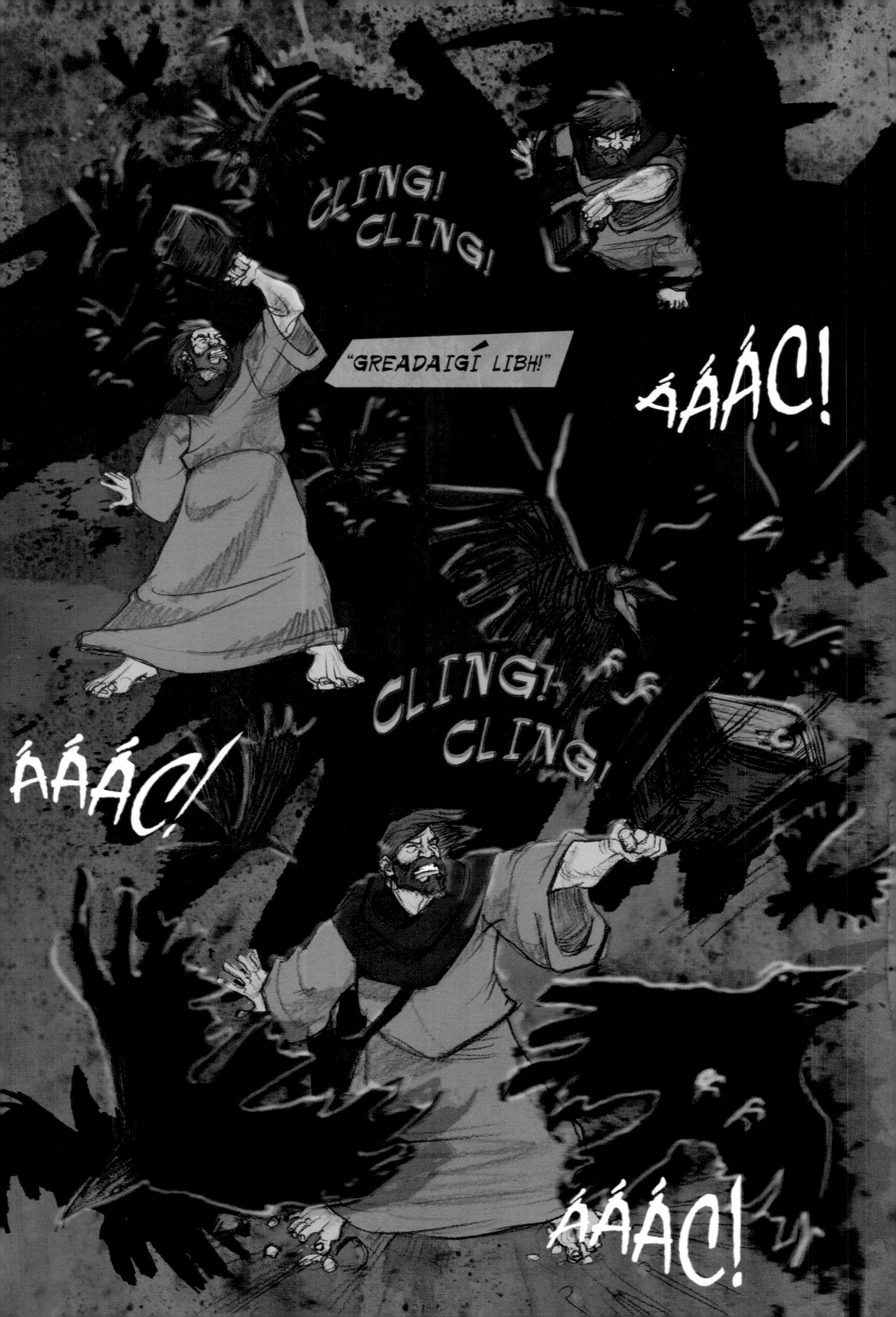
CLING! CLING!
"GREADAIGÍ LIBH!"
ÁÁÁC!
CLING! CLING!
ÁÁÁC!
ÁÁÁC!

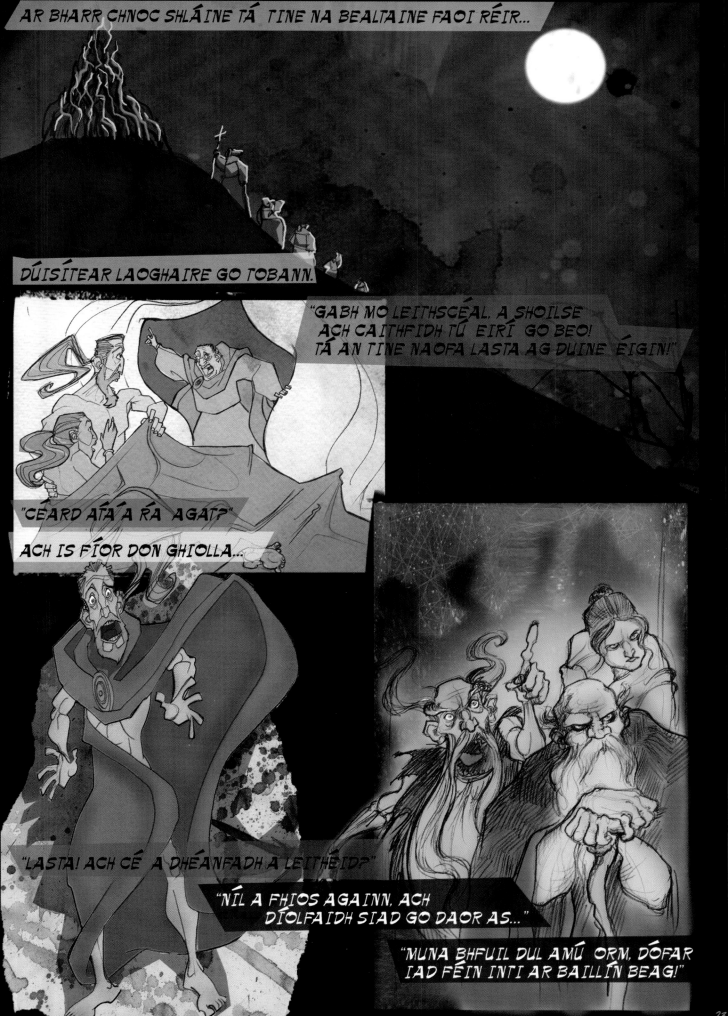

An chéad chló 2003
© Cló Mhaigh Eo 2003

ISBN: 1- 899922- 21 -0

Gach ceart ar cosaint

Ní ceadmhach aon chuid den fhoilseachán
seo a atáirgeadh, a chur i gcomhad athfhála
ná a tharchur ar aon mhodh ná slí,
biodh sin leictreonach, meicniúil, bunaithe ar
fhótachóipeáil, ar thaifeadadh nó eile,
gan cead a fháil roimh ré ón bhfoilsitheoir.

Foilsithe ag Cló Mhaigh Eo,
Clár Chlainne Mhuiris,
Co. Mhaigh Eo, Éire.
www.leabhar.com
094-9371744 (Fón/Faics)

Ealaín: The Cartoon Saloon,
Cill Chainnigh.
info@cartoonsaloon.ie
www.cartoonsaloon.ie

Dearadh: raydesign, Gaillimh raydes@iol.ie
Clóbhuailte in Éirinn ag Clodóirí Lurgan,
Indreabhán, Co. na Gaillimhe.

Buíochas: An Dr. Daithí Ó hÓgáin, Conchúr Ó
Giollagain, Iarla Mac Aodha Bhuí, Gearóid de Grás.

Faigheann Cló Mhaigh Eo tacaíocht ó
Bhord na Leabhar Gaeilge.

Bord na
Leabhar
Gaeilge